꽃이음

꽃으로 버무려낸 사랑과 인생.
꽃 "시"가 되어 다시 피어나리 ..

모든 날, 모든 순간
은희

가효정

나의 세상에 가득한
그대라는 詩

야옥선

쓰는 자의 고통이 읽는 자의
기쁨이 되길

행복하세요
진원재

바람은 그저

　자리를_____

　내어 줄 뿐입니다

바람은 그저

자리를_____

내어 줄 뿐입니다

김효정

국어국문학 전공
전공과 부전공의 직업을 오가다
지금은 전혀 무관한 직장인
본캐와 부캐를 오가는
꿈꾸는 사람

instagram   @graejoa
email   weyes3355@gmail.com

< 나의 세상에 가득한 그대라는 詩 >

진원재

"한번 사는 인생, 좋은 추억 많을 여행으로 남길"

27년 동안 참 많은 책을 읽었습니다. 어느 날 문득 이런 생각이 들더군요. 나도 글을 쓰고 싶다, 내 책을 쓰고 싶다. 여태까지 많은 사람의 글을 읽었으니 나의 글도 한 번 써봐야겠다.

모든 글은 하나의 생각에서, 하나의 문장에서 시작됩니다. 그 점에서 시는 가장 순수하고 거짓 없는 글이라고 할 수 있겠네요. 또한, 시는 연과 연 사이에 공백을 남겨둘 수 있습니다. 그 공간은 독자를 위해 남겨둔, 독자가 자신만의 감정을 채워가는 공간이라고 생각합니다. 이런 과정을 통해 함께 완성하는 것이 바로 시가 아닐까 싶습니다.

모든 것이 넘쳐나는 세상입니다. 오히려 비워내고 덜어내야 하는 세상이 되어버렸네요. 제 시를 읽고 무거웠던 마음이 이전보다 한결 가벼워지셨으면 합니다.

instagram   @jjinpoet
kakao brunch   글 쓰는 간호사 RNJ
email   jinwonjae0@naver.com

< 내 인생 처음으로 메가폰을 잡았다 >

조지영

하루하루가 버석거렸어요.
모래바람이 부는 거친 사막에서
심장의 고동도 습관이었지요.
보살핌의 결핍, 잉태의 목마름 그 실체를 찾기 위한
몸부림의 충동이 용기가 되어 지면을 얻었습니다.
일부는 이미 죽었고
일부는 살고자 추는 춤이 되어 비상을 시작합니다.
느리고 엉성한 비상이지만
누군가와 함께한다면 행복하겠습니다.

email   snowdrops3327@gmail.com
blog   blog.naver.com/jyoung3327
instagram   @snowdrop_is

< 꽃으로 버무려낸 사랑과 시와 인생 >

양복선

쓰는 자의 고통이 읽는 자의 기쁨이 되길 바라며
언제나 타자기가 아닌 영혼을 두드리고 있습니다.
오늘도 글을 쓸 수 있게 해주셔서 감사합니다.

소설가
2016년 소설 7days로 데뷔
이후 <깨비>, <벚꽃소녀>, <몬스터를 로또다>, <여주를 뺏
어버렸다>, <첫사랑이 호스트바에이스> 연재

2020 제5회 대한민국 창작소설 공모대전
<창작상, 작품상> 수상.

2021년 네이버 시리즈
<sss급 귀환자 학교가다>, <사진술사> 출간예정

instagram   @bok_writer

< 사랑역 이별출구 >

손은희

따사로운 햇볕이 스며들던 창가에서 턱을 괴고 앉아
빨강 머리 앤을 보며 작가를 꿈꾸었던 쪼꼬미.
세월에 묻혀, 현실에 묻혀 쪼꼬미의 꿈은 잊혀갔죠.
어느 날부터 그리움에 마음이 너무 아파
매일 그에게 답장 없는 편지를 쓰기 시작했어요.
하늘에 닿지 못한다 할지라도 여전히 당신을 사랑한다고,
당신은 나의 전부라고.
그의 선물일까요?
눈물방울만 한 쪼꼬미는 어느덧
꿈을 이룬 꽃중년이 되어 복사꽃처럼 활짝 웃고 있네요.

< 모든 날, 모든 순간 >

김효정

나의 세상에 가득한 그대라는 詩

찻물을 올리고 내다본 골목길
고요한 모르는 사람을 슬쩍 보던 날
타인의 문장 사이를 지나왔거나
홀로 부는 바람결에 서게 될 때
그대와 밥 한술 나눌 때라도

찻물이 부르르 끓는 사이
내게 들어온
장면과 순간, 찰나
내게서 나오는
적막한 언어와 문장

2021. 봄 김효정

봄에게 부치는 전보

나는 너에게 마음을 기울여
긴 겨울을 견디어 왔다

겨울은 버석한 나뭇가지
큰 냇물엔 초록 머리 오리

자맥질 몇 번이면
휘파람 같은 기운이 나

두 번 다시 마르지 않을
물결로 흘러갈 테야

너는 나에게 몸을 기울여
내 낯빛을 살피다 마침내

보송한 솜털 깍지를 틔어
착하고 고운 솜꽃을 마주하겠지

'멀리 있지 않다면 곧바로 돌아올 것'
여기로 와, 봄!

홍매화

지나간 꿈송이 같은
매화 꽃송이들
하늘에 어리어
봄을 부르네

높은 나무
높은 가지마다
어지러이
빙그르르
매양 꽃잎, 꽃잎, 꽃잎

삼월 찬 바람 속
드리운 봄에
울렁울렁 퍼지는
찬란한 열병

어쩌다
사랑을 알아서
누군가
사랑을 앓네

감천 길을 걷다

내리막 계단에
함께 서 있던 난간들
저 아래 바다에 이르도록
꺾여, 꺾이어 내려가는 중

계단 아래
문들은 안으로 닫혀 있고
작은 창문들만 덧창을 열어두고
가느다란 봄을 호흡하는 중

모든 것이 제 자리에 있지만
어디는 햇살을 받고
어디는 그림자를 받지
네 그림자는 무슨 색이니

어디쯤 온 것일까
봄에게 기댄 채
감천 길을 걷는 내내
나는 네가 그립다

햇살에 바래고
바람에 낡아간대도
돌아온 새봄 위에
네 손목의 평온한 뜀 위에
기쁜 오늘

세상 어디쯤 당도한다 하더라도
저기, 말 없는 이정표를
그냥 믿기로 한다

봄, 꽃, 너를 보니

하얗고 말간 네 얼굴을 보려니
네가 지나온 가지의 길과
뿌리의 길이 보인다

탐스러운 네 꽃잎에
모두 새겨져 있다

꽃 보다 많은 가지의
굴곡진 저항이

보다 더 많은 뿌리의
내밀한 잔주름이

아름다운 너는 곧 사라질 터
아무런 향기도 남기지 말아라

네가 살아낸 아릿한 세상은
봄날 어슬한 감기 같구나

청명

사월이 되었다
세상의 수상하고 위험한 신호를
아는지 모르는지
봄날의 나른한 기운을 타고
온통 벚나무 꽃으로 태어난
기하급수적 거품의 기세

네가 아는 모든
아름다운 이름들을
흰빛, 분홍빛으로 피워낸 것이냐

뽐냄과 시샘과
발칙함까지 가득 매달아
그 꽃 다 떨굴 때까지
생의 무거움을
혼자 견뎌야 했을 것이다

푸르고 맑은 바람 불어와
흐릿한 너의 눈을 씻어내니
꽃은 후회 없이
마지막 비상을 시작한다

허허로운 질문

다리를 지나며 본 세상은 참 어떠한가
숨 가쁘게 달리는 이쪽 세상과
아스라이 반짝이는 저쪽 세상이
흔들리며 강을 건너는 사람들을
이렇게 갈라놓는구나

이쪽 세상에 있는 자는
멈추지 않고 달려야만 살아갈 수 있다
달리다가 궤도를 이탈한다는 것은
달리던 속도에서 튕겨 나가
너무 멀리 벗어나기 때문에
자칫 돌아오지 못할 수도 있는
목숨을 건 모험이다
안전하게 살기 위해서는
모험을 선택하지 않는 편이 좋다
그러나 나는 어찌하여
저 중력을 벗어난 불빛에 더욱 다가서고 있는가

어둠 속에서도 흔들림 없는 불빛들
하늘은 아직 푸른 듯 붉고
피어나는 꽃, 생명의 불꽃처럼

다만 불빛이 한 번, 깜빡 눈을 감는 사이에
그쪽으로 건너가고 싶을 뿐이다
내게는 갈라놓을 영토도, 강물도 없다
갈라놓는 시간도, 모험도, 모함도 없다
그런데 이것은 눈 깜빡하는 만큼의 환상일까
그런데 또 이것은,
목숨을 거는 일과 생명을 좇아가는 일이
다르다고 할 수 있는가 말이다

마음의 집

오래전 기억의 틈
그러니까 대문도 따로 없는
그 집 생각이 나는데

그 집 스레트 지붕에는
듬성듬성 큰 돌이 얹혀 있었지
조석으로 변하는 마음일랑
날려가지 말라고

사월 한창 봄날에도
옷걸이의 처진 빨래처럼
얼었다 녹았다를 반복했었어

한낱 힘없고 가난한 꿈을
지켜내고 싶다면
마르지 않은 옷을 입을 수 있는 건
따사로운 마음뿐이야

구멍 숭숭 뚫린 담벼락이
더는 넘어지지 말라고
내 마음, 네 마음을

얼기설기 쌓아야 했어

그 집은 그러니까
기억의 틈, 큰 금이 그어진 채로도
오래도록 그곳을 지키고 있지

봄밤

혼자 걷는 봄밤
향긋함에 가던 길 멈추니
거기에 라일락이 있었습니다

둘이 갈 때 지나쳤는데
혼자 돌아올 때 알았습니다
그대가 없으니
그대 닮은 향기라도 찾나 봅니다

조금 시들고 빛은 바랬지만
지금이 아니면
다시 만날 수 없는 향기를
가슴 깊이 쓸어 담습니다

바람도 없는 봄
향기만 가득한 밤
그대 잠깐 머무른 곳에
가만히 서 있다가
라일락을 보다가 돌아옵니다

길을 걷는 오늘

길을 걷는 오늘
내 마음은 마치
푸드트럭 속
펼쳐보지 못한 무릎
웃음을 보여준 적 없는 마스크
그리하여
발자국을 남기지 못하는 길

세상은 변하고, 사람도 변하고
흘러가는 길에서
변하지 않을 사금파리를 찾는 중

문득 동시에 켜지는 빨간 신호등
이쪽과 저쪽 길이 한꺼번에 열리니
이만큼의 거리를 얻는다

아무것도 하지 않고 이루어진
행운 같은 일 앞에
어린아이같이 기쁘다

내가 아는 것

너의 시간으로 마주 오고
나의 시간으로 나아가고
어느 분초에서 지나쳤을까
어느 문을 열다가 마주쳤을까

왜 그곳에서 그때
마침 일어난 일일까
누군가 조금 더 늦게
혹은 빨리 길을 나섰다면

그리하여 우연한 교차가
아직 오지 않았다면
사람의 마음이라는 것을
알 수나 있었을까

서늘한 바람의 방향도
소근거리는 꽃들의 말도
바다가 짙푸른 이유도
어느 것 하나 알지 못하지만

바람은 나를 통과해
너에게로 불고
꽃들은 제 몸 일렁이며
시간을 씻어내고

바다는 끊임없이 출렁여서
시간의 끝을 뒤로 밀어내 버린다
하얀 물거품은 일지 않았다
다만 너는 내 곁에 있다

바위

이 침묵은
너무나 많은 말을 담고 있지

골 깊은 먼 곳에서부터
수 천 년을 걸어 나와
내 전 생애를 걸고
흘려보냈던 눈물들 앞세워서
또 내가 흘릴 맹세의 전부를 걸고
다짐하고 다짐하는 것은
너

풀잎들이 바람에 몸을 맡기듯
어찌할 수 없는 울분들
바람에 실어 서걱서걱
속으로 우는 울음은
계절의 몇 곱절 하늘 위로 띄워
새 그늘을 만들어낸다

너 또한 어둠 속을 걸어 나와
나의 어둠에 말을 걸고
나의 어두운 손을 잡는다

너는 따스하게 미소짓고
너는 속절없이 울부짖고
너도 깨지지 않을 약속을 한다

섣불리 속단했던 나의 삶과
함부로 넘겨짚은 너의 삶
그 어느쯤에 단단히 박힌 돌쩌귀를
들어내는 일

그게 무어라고
그게 다 무어라고

이렛날 중 나흘은

이렛날 중 나흘은 따뜻했지
나흘 동안 이틀은 사랑을 했어

바람 부는 거리에서 돌아와
등 뒤로 문을 딸각, 상냥하게 닫고
모자와 외투를 벗어 놓고
심호흡하듯 너의 향기를 사랑해

주어지지 않았던 날들은
거슬러서 사랑을 하지
네가 그래야만 했던 이유가
있었을거야

아직 오지 않은 어떤 날들은
먼저 가서 사랑을 하지
그곳엔 늘 약속시간처럼
네가 먼저 와 있을거야

삼백육십육 번 살아가는 날들과
그때마다 함께 오는 너를 마주하며
하루 동안 사흘은 사랑을 했지

여름이 가을에게

잠깐 사이에 창밖을 보면
구름이 낮게 깔리어
오늘은 태풍이 지나갔다고
내일은 또 내일의 태풍이
오고 있다고

세상 끝에 선 바람은
뿌려진 빗방울과
흩어놓은 구름을
뭉치고 굴려서
어디론가 데려가 버리고
빨랫줄에 이불보는
한껏 부풀기만

먼 하늘, 강물 위 반짝임과
흰 바닥을 보이는 골목들과
인사할게요
다음에 또 만나요
하루 더 달아진 과일들도
하루 더 기다린 당신도

버스 정류장에서

그들은 모두 제 갈 곳으로
속속 도착하는 버스를 타고 정류장을 떠났다
오지 않는 버스를 기다린다
길이 막히고, 아스팔트엔 열기도 없는데
가슴께 숨길도 막히는구나

언젠가, 어느샌가 나는 너와 함께 버스를 타리라
들뜬 모습 못 감추고 뛸 듯이 올라타
둘이 같이 앉아 도란도란 얘길 하리라
길을 걷는 사람들의 옷차림 얘기
노을이 아름답다는 말
라디오에서 나오는 유행가나
뉴스를 문제 삼기도 하고
너는 나의 불만이 불만스러울 수도 있다
그래도 하나둘 켜지는 거리의 불빛들
그 흔들림은 따뜻하기만 할 것이다
교통체증에 짜증 섞인 소리들 늘어나고
온갖 길이 막혀서 시간도 점점 늘어지는데
우리의 긴 이야기는 서로를 바라보다가
그러다가 목적지에 다다르지 못할지도
모르지만 개의치는 않으리라

이미 우리는 서로의 목적지에 도착했으므로
버스가 어느 순간 노선을 바꾸어도
여름에서 가을로, 겨울로 창밖 풍경이 달라진대도
이상한 사람들의 이상한 일들을 말 삼아 할 것이고
또다시 노을과 비슷한 색은 무엇이라는 것
그리고 새로 좋아하게 된 노래들을 나누리라
그저 그런 이야기들은 끝이 없을 테고
너와 나, 꿈결같이 잡은 손, 결코 놓지 않으리라

사랑을 대하는

입술을 열어 입술을 마주하는 것
눈을 감고 보이지 않는 것을 보는 것
분명히 알 수 있었지
한 사람의 영혼이 내게로 온다는 것을

그대의 미세한 떨림을 내가 아는 것
그때마다 누군가 꼭 울게 되는데
그 눈물의 진동과 파장을 끌어안아
잔잔한 수면이 될 때까지
가만히 놓아두는 것

한눈에 알아보고
미소로 바라보다가
주체할 수 없어서
결국에는 환하게 웃는 것
소리 내지 않아도 들을 수 있지
한 사람이 사랑을 대하는
맨 처음의 노래를

그리운 그리움에게

강 앞에 서서도
그대 생각이 난다

그리움은
일렁이거나 흐르는 존재

생각의 물결처럼
엊그제 향기처럼

센 바람에도
자신의 방향을 바꾸지 않지

그리움 똑 똑 떠낸 자리마다
숟가락 닮은 둥근 자국

물결 짓는 강가에
그대 애닳는 자국

사랑은 사랑스러워서 사랑해

오늘 하루종일 생각하고
저녁 내내 함께 있었어도
다하지 못한 말
온통 한 사람에게만 집중했어도
다하지 못한 마음

지금 생각해보니
사랑이란
존재가 존재에게
살아있음을 전하는 것

그 생기와 호흡과 숨결에
함께 기뻐하는 것
그 기쁨에 겨워 눈물짓는 것
가까이 가까이 끌어안아
폐부 깊숙이 찔리도록
어쩔 줄 모르는 것

내일 얼마나 더 그립고
아름다운 햇빛 받아
어떻게 반짝이려는지

바람 부는 가을에 서 있는
그대와 나는,
다시 생각해봐도
사랑은 참 사랑스럽다

너에게 할 말을 고르다가

늘상 반 박자 늦는 나는
반걸음 앞서 걷는 네게서
타박 듣는 날이 많다
무수한 생각과 대답,
낮게 깔리던 어제의
는개처럼 더디다

흰 눈송이가 뜨문뜨문
하늘로 올라가는 세밑에
그 겨울엔 우리 어찌 지냈을까
짧은 봄, 여름, 가을에도
오래도록 알아 온 너를
친근하단 말만으로는
차마 맘에 들지 않아
더 새코롬히 산뜻하고
더 달짝하게 들러붙는
어떤 말이 있을 텐데

눈송이가
흐린 하늘 위로 날아오르다가
다시 내려앉을 어떤 날의 내가

세상에 둘도 없는
너를 생각할 때에
한 번의 눈송이 같은
오로지 고유한 너라는
눈송이를 생각할 때에
나는 눈물을 떨구느라
지금 막
말의 문을 열고 나가는 너를
멈춰 세울 수 없었다

겨울 언덕에 나무들이 서 있다

겨울 바람이 분다
지난 겨울엔 우리
어떻게 지냈지?
빈 가지로 또 너를 바라본다

내가 손 뻗고
네가 손 내밀어도
닿지 않는 근접 거리
그것 때문이라면
다치지 않는 사랑이 될 수 있겠지

그래도 하늘 위에 띄워 놓고 보면
너와 나는 묘하게 겹치지
그것도 아주 많이
사실은 아주 많이 닿고
아주 많이 사랑하지

지난 태풍 속에 찢겨나간
생가지의 푸릇한 냄새도
오늘 보이는
실핏줄의 실금까지도

그리하여 붉은 피 냄새도
아스라이 사랑할 뿐이지

경계를 피해갔으나
이미 경계 안에 있고
경계 안에 있으나
겹치지 않는,
연리지를 꿈꾸는

나무들이 겨울 언덕에 서 있다

멀리 있는 네가

멀리 있는 네가 보내온 소식
-눈 온다
온몸을 휙 돌이켜 바라본 것은
아직 도착하지 않은
너

하나 둘 셋
이내 오고 있는 솜송이,
솜꽃 바람에 안겨 달려온다
허공으로 떠오르고, 멈칫
내려가듯 떠오르고, 휘돌아

흰 멍울들 무르익어
고달픈 너에게 먹일 미음처럼
몽글몽글 피어오르다가
어쩌면 나조차도
뜨거운 흰 죽으로 펄펄 끓어올라
함박함박 터트리고

뭉근히 내려앉는 저녁
흰 죽 덜퍽 쏟아진 길목에

한참을 서 있다가
따스한 김 모락거리는
그 길을
오래도록 걸으리라

눈 오는 밤

네가 돌아가고
사이에 내리는 굵은 눈발

발길 끊긴 사거리에
거센 바람으로 누워
네 발자국을 덮고

네가 떨군 눈물과 섞여
건널목 앞
내게로 불어 왔을 때

나의 뺨에, 나의 눈에
차고도 뜨거운 물로
어룽어룽 거려

길 위의 슬프고도
아름다운 것들과 만나
검은 하늘을 가득 메웠으니

오늘 밤
세상은 낮보다 더욱 환하다

슬픈 날

슬픈 마음 가누지 못할 때
나를 부축하는 것은
더 큰 슬픔

차고 외로운 길을 나설 때
외롭고 고고한 슬픔이 따라나선다면
기꺼이 동행하겠다

소금 알갱이였던 네가
색색의 폭죽으로
단단하고도 환하게 터져 나와
그때의 아름다운 파열음과
그때의 불꽃 싸락이
내 얼굴에까지 닿아서
저녁내 열기가 가시지 않았지

네가 슬픈 건 왜인지 묻지 않겠다
슬픔의 전이 또한 의심하지 않으며
사랑을 기울일 때처럼
네게 몸을 기울여
쌓이는 눈, 사스락 소리를 들어보겠다

밤을 건너가며

긴 겨울의 추위를 맞대고
모로 눕는다

가슴에서 퍼지는 파동
그것은 소리도 없이
네가 부르는 소리

그 길 따라 왼쪽으로
왼쪽으로 가본다
청록의 밤, 숲길을 걷는다

들리지 않는 귀로 듣는다
두근두근
욱근욱근

좁힐 수 없는 청록의 길
욱신욱신
밤새 숲길을 헤맨다

2월에 찾아온

싸라기눈, 자잘한 눈이
급하게 들이친다
펄펄 날리지 못하고
그저 한곳을 향해 쏟아지는 마음처럼
사선으로 내리는구나

생각의 가짓수만큼
수많은 빗금을 긋다가
머리카락에 맺히고
내 눈으로도, 목덜미로도 파고드는

젖은 먼지 같은 너희를
눈이라 이름 지을 수 있을까
바람의 무게를 얻어
둥실 떠오르기를 바랄게
2월에도 곱게 찾아온
눈꽃으로 피어오르길 바랄게

그러다가 멀리서 바라보는
그 창가에 잘 도착했는지
내게 말해주어

하루

밤으로 멀리 갔다가
새벽으로 돌아오는 어스름에

눈 뜨기 전부터
눈썹에 매달린 생각 하나

국물 한 숟가락에도
두통 속에도 한 사람

희미한 노랫가락을
함께 부르고 싶어라

끊임없는 이 생각을
겹겹이 네게 맞추고

허전한 이 마음 안에
켜켜이 넣어두고

네 곁을 지나다 봄을 보았네

야들한 꽃잎 위로
날던 벌 스친다

모든 물길 위로
붉은 물 퍼진다

파드득 꽃잎 위로
순한 긴장 감돌아

마침 부는 바람
꽃 주머니 부푼다

안달 난 꽃술들
후드득 요동치는

한낮, 누긋한 바람
숨죽이는 탄성 속에

벌은 스치고
꽃은 눈을 감고
해는 붉게 오므러든다

오늘이라는 열매

나는 불이 닿지 않아
아직 덜 익었어요
바람 부는 산등성이에 올라
태양 불기운을 쬐고
두꺼운 돋보기에 모을게요
타버리지 않을 만큼
거리를 조절해야 해요

노란색은 모름지기
신맛이 나서 신이 나요
익숙하고 낯선 것들을 한데 섞어
기쁘게 젖어들고
슬프게 녹아내려서
아름다운 흰 것이 되길 기다려요

오랜 내일이 되기 전
언젠가의 시간이 되면
껍질 안 작은 새처럼
또록또록 눈 굴리고
날개를 옴작거릴게요

붉은 열매를 콕콕 쪼아
희디흰 눈물 터트려서

오늘의 이야기가
완결되고 난 뒤에도
오래도록 잊지 않도록
안으로 안으로
쪽쪽 빨아먹을게요

그대라는 詩

우리가 서로에게 유기적인 호응이 없었다면 우리의
사랑은 아마도 사랑이라는 이름을 얻기 전 어느 느낌
에서 그쳤을지 모른다

그대를 매일 생각하고 그대와 매일 말을 나누고 매 순
간 숨 쉬듯 그대를 느끼는 일이 나의 사랑이라면

옛일인지 오늘인지 꿈인지 아니 꿈으로 들어가고 싶
은지 하염없이 나를 바라보고 나를 바라는 일이 그대
의 사랑이라면

내가 그대에게 가는 만큼 그대가 나에게로 온다는 것
그것이 사랑이라면 우리는 그대와 내가 오래도록 바
라 온 사랑의 한 조각을 완성한 것이다

또 사랑의 한 조각이라는 것이 누군가를 향한 곱디곱
고도 쓰리고 아린 것이라면 그것은 그대에게 갈 수 있
는 거리의 문제일 것이다 다다르는 길을 당길 수 없지
만 아예 멀어지게도 못하기 때문이다

언젠가 내가 모르는 한길에 나가서도 꼭 마주하게 될
그대, 그대의 모습을 떠올리고 후 불면 사방으로 퍼
지는 어느 꽃씨처럼 그대는 더욱 나의 세상에 가득하
다 나의 세상에 가득한 그대라는 詩

진원재
_____

내 인생 처음으로 메가폰을 잡았다

나는 뾰족한 연필을 좋아하지 않는다
뾰족한 연필 끝 뾰족한 글이 나온다

그대 마음에 빨간 생채기 남길까 두려워
뾰족한 연필 끝을 뭉툭하게 다듬는다

글을 쓰며 느껴지는 사각거리는 촉감보다
부드럽게 이어지는 뭉툭한 느낌이 나는 좋더라

뭉툭한 연필 끝 투박한 마음을 쓴다
눈길보다 마음을 사로잡는
풋내나는 마음이고 싶다

_ 시인의 말

우리의 성숙은 왜 항상 한 발자국 더디 올까

지나고 보니 별일 아닌 일들이
당장은 크게 보이는 일들이

나의 지나온 길을 돌아봄이
자랑스럽든 후회스럽든

우리는 왜 한걸음 뒤에 성장할까
그 한걸음 보폭 참 멀게만 느껴지는구나

툭툭 던져낸 우리의 삶
터벅터벅 걸어온 우리의 여정

항상 한 걸음 늦게 성숙하는 것이 우리더라
내딛지 않으면 알 수 없는 세상이 있더라

나는 단 한 번도 늦은 적이 없음을
그렇다고 빨랐던 적 없음을

이 또한 깨닫는데
한 발자국이 늦었더라

흰 구름

어느 바람에 실려 이곳에 왔을까
어느 바람에 실려 이곳을 떠날까
높은 하늘 외로이 떠 있는 조각구름

땅 위에 단단히 서 있다 생각했거늘
바람 잔잔한 구름 한 폭에 흔들리는 이유는
그다지 뿌리내리고 싶지 않은
이 땅이 이유가 될까

저 먼 하늘에 힘껏 나를 날려줄
어떤 바람을 기다리며
나는 흰 구름만 바라보는가

조개껍데기

끝없는 모래사장 반짝이는 조개껍데기
해변은 조개들의 마지막 여정이었구나
숨이 다해 쓸려온 넓디넓은 해변에
햇빛을 머금은 별 한 조각으로 남았구나

밀어치는 파도에 쓸려가는 파도에
아이들이 쌓아올린 모래성이 무너지고
풋사랑 연인들의 이름이 지워져도
단단히 박힌 채 빛을 내는 이들이 있더라

모든 것들이 지워지는 이곳에
묵묵히 제 자리를 지키는 존재가 있더라
바위마저 깎아내는 몰아치는 파도 아래
깨끗이 씻기어 빛을 내는 존재들이 있더라

시락국집

산허리 잘록이 들어간 고즈넉한 꽃마을
우리 가족 단골 시락국집 주인할머니는 손이 컸다
특별한 말 한마디 없이 밥을 푸짐하게 담아주셨던
우리 가족은 주인집 할머니의 밥을 먹고 자랐다

가게 문이 한동안 닫히고 다시 손님을 받을 때
더는 주인집 할머니를 볼 수 없었다
조리대 너머로 보일락 말락 했던
백발의 자그마한 노인을 더는 볼 수 없었다

아직도 가끔 시락국집을 찾는다
주인집 할머니의 손맛을 쏙 빼닮은 젊은 사장님
특별한 말 한마디 없이 밥을 푸짐하게 담아주는
그 모습마저 쏙 빼닮은 나의 단골집

음식 맛 어째 변한 것 하나 없구나
아, 우리는 모두 같은 밥을 먹고 자랐구나
우리 가족은 주인집 할머니를 쏙 빼닮아
특별한 말 한마디 없이 밥그릇을 싹싹 비워낸다

나의 우주

어린 시절 잠이 오지 않을 때
두 눈을 힘주어 감으면
나만의 우주가 펼쳐지곤 했다

눈부시게 빛나는 별
파랗게 피어오르는 별
꼬리만 남긴 채 사라진 별

나만의 우주 나만의 세상
두 눈을 감아야 만날 수 있는
빛나는 세상이 있었다

세상의 모든 별들이
나를 중심으로 돌아가는
온 세상이 내 세상 같았던 그 시절

힘주어 눈 감을 힘 하나 없는 지금
피로의 무게에 눈꺼풀이 떨어지고
지상에 떨어진 별 하나, 떨어진 우주

집으로 돌아가는 강변에서

내 두 눈 꼭 감지 않아도
충분한 어둠이 드리운
집으로 돌아가는 강변에서

제 길 따라 흐르는 것은
강물뿐이 없구나
나는 어디로 흘러 왔는가

아침에 걸어온 북적대던
젊은 하루는 어느새 잠이 들어
나의 길 비추는 빛 하나 보이지 않구나

밝은 대낮 이 길을 걸었기에
해지고도 돌아갈 수 있음을
조금 무섭더라도 나의 길이었음을

나는 어찌하여 이 길을 다시 돌아가는가
집으로 돌아가는 강변에서
나는 어디로 흘러가고 있는가

폭풍이 지나간 후에

폭풍이 지나가고
고요한 시간이 찾아오면
우리는 철학자가 된다

폭풍에 모든 것이 쓸려나가고
멍하니 앉아 하늘을 쳐다보는 것
그것 외에 달리 할 일이 없을 때

남겨진 것은 한숨과 시간뿐일 때
삶의 의미를 다시 한 번 곱씹게 된다
쓰디쓴 삶의 껍데기를 입안에 넣고 굴린다

폭풍이 지나간 구름 하나 없는 맑은 밤하늘
밤하늘의 별들이 아름다운 빛을 낸다
이 세상 것이 아닌 밝고 찬란한 빛을 낸다

저 빛은 아주 오래전 출발한 빛이다
탄생과 함께 뿜어 나온 빛인지
마지막 숨결을 실어 나른 빛인지 알 수 없지만

그들의 빛은 넓은 우주를 건너 시간을 건너
모든 것을 잃어버린 우리의 땅에 도착했다
밤하늘 어두울수록 찬란하게 빛나는 별빛 자수

우리에겐 우리의 빛이 보이지 않는다
우리는 세상의 끝에서 서로의 빛을 바라본다
그리고 그 빛의 영롱함을 동경한다

폭풍우에 우리의 빛마저 쓸려갔다 생각한 순간도
우리의 별 밤하늘 한구석에서 밝게 빛나고 있음을
우리가 동경하는 저 별의 밤하늘을 수놓겠지

폭풍이 지나가고
고요한 시간이 찾아오면
우리는 철학자가 된다

소아과 아이들

아이들이 자지러지게 운다
쪼꼬만 환자복을 둘둘 말아 입고
눈물 채 마르지 않은 촉촉한 엄마 품에 안겨
우릴 향해 고함치듯 운다

울리려던 것은 아닌데
보호자와 눈이 마주치고
우리는 멋쩍게 웃는다
겉으로 함께 웃고 속으론 함께 울고

아이들 얼굴에 해바라기 웃음이 피고
나를 기다리고 놀아 달라 보챌 때
아! 이제 아이들이 아프지 않구나
아! 우리가 이별할 때가 되었구나

만남은 즐거운 것이고
이별은 슬픈 것인 줄 알았는데
이별이 마냥 슬프지는 않더라
만남이 마냥 반갑지는 않더라

바오밥나무

어린 왕자는 바오밥 싹을 뽑았다
혹여나 그들이 하늘의 별을 해칠까
어린 왕자는 부지런히 싹을 뽑았다
거꾸로 자란 뿌리가 밤하늘을 꺼뜨릴까

요즈음 밤하늘에는 별이 없다
넓은 밤하늘 별 하나 보이지 않는다
어린 왕자가 머얼리 떠나버린 것일까?
어린 왕자가 이제 어른이 되어버린 것일까?

이 시대의 어린 왕자들은
별 쏟아지는 하늘을 본 적 없기에
별들이 사라진 탁한 하늘만 보았기에
바오밥 싹을 뽑지 않겠지

별들이 보이지 않는 슬픈 밤하늘
이미 다 커버린 어린 왕자들만 기억하는
기억 속의 푸른 밤바다
돌아오지 않을 슬픈 꿈나라 이야기

잠이 오지 않는 밤

삶이 너무 힘들다고 느낄 때
걱정에 숨이 턱턱 막혀올 때
흘러가는 시간이 원망스러울 때

밤새워 뒤척이다 이른 새벽 잠이 듭니다
오늘 하루를 정신없이 보내고 나면
어젯밤이 왜 그렇게 힘들었는지 모르겠습니다

잠이 오지 않는 이른 새벽의 거리
비몽사몽 출근하는 직장인
물건을 나르는 상인들
독서실로 향하는 고시생

해 뜨기 전 한 곳씩 밝아지는 세상
누구 하나 힘들지 않은 이 없기에
누구 하나 열심히 살지 않는 이 없기에
힘든 것 쉽게 털어놓을 수 없는
모두가 열심히 사는 세상

노래방 점수

시험이 끝나 일찍 학교를 나온
시험을 망쳐도 기쁜 시험 마지막 날

친구들과 어울려 들어간 동전노래방
목이 터져라 소리를 내질러본다

시험점수 잊고 싶어 내지른 소리에
얼레, 점수가 또 나오네

가수 할 실력은 아니랜다
가수 할 생각도 없었는데

친구들과 킬킬대며 누르는 점수제거
이놈의 점수, 벗어날 곳 하나 없구나!

노래방점수와 시험점수를 평균 내면
행복의 평균점수가 조금 올라갈까

철 지나면 잊힐 점수에
우리는 참 많이 울고, 웃더라

내가 그대의 편지를 사랑하는 이유

내가 받은 그대의 편지 한 장에는
그대가 밤새 씨름했던
열 장의 고민이 담겨있다

내 달님에게 들었는데
그대는 한 장의 편지를 쓰기 위해
똑같은 내용의 편지지를
열 번을 구겨버렸다고 했다

늦은 점심 그대가 편지를 전해줄 때
그대의 반달 같은 눈은
피로라는 그림자를 만나
새초롬한 초승달이 되어있었다

나는 그대의 편지를
열 번도 넘게 읽었다
그대가 구겨버린 열 장의 편지지를
한 장의 편지지에서 하나하나 꺼내 읽는다

열 번 구긴 편지지가
다시 열 번 펼쳐지는 것
편지를 열 번 다시 쓰는 데 걸리는 시간과
편지를 열 번 펼쳐 읽는 데 걸리는 시간이
똑같다는 것을 쓰는 이도 읽는 이도 모른다

우리의 사랑이
너도, 나도 모르는 사이 깊어지는
달님만이 알고 있는 그런 사랑이 있었다

세상이 롤러코스터

놀이기구 하나 무서워하지 않는데
나는 세상이 무섭다 세상이

세상이 딱 그렇더라
천천히 오르다 예고 없이 떨어지더라

어디까지 떨어질지 언제 오를지 모르는
안전벨트 없는 꿈의 나라 행복 동산

오늘은 말이라도 하고 떨어져라
여긴 1층 밑에 지하실도 있다 하더라

하늘 자전거나 타볼까 관람차를 타볼까
어, 이건 또 재미가 없네

늘그막에 롤러코스터 앞 줄 서보지만
여기부터 한 시간 반입니다 무심한 표지판

내 차례는 언제쯤 오려나?
오늘 마감 시간이 언제라고?

하늘에선 꽃이 지고, 땅에선 꽃이 피네

하늘나라 순백의 꽃들이
제 짝을 만났나 보다
이른 아침 온 세상에
꽃잎이 내렸다

하늘나라 암꽃과 수꽃이
추운 겨울에 활짝 만개했나 보다
그리고 제 짝을 만나
땅에 아름드리 꽃잎을 흩뿌렸나 보다

차가운 겨울바람이
하얀 꽃가루를 옮겨 하얀 꽃이 피었구나
차갑기만 한 줄 알았던 겨울바람이
새로운 생명을 피워냈구나!

타임머신

만약 내가 다시 그때로 돌아간다면
그대는 나를 반겨줄까
나를 보며 눈물지을까

내가 출발한 시간에선
아마 우리가 함께하지 못함에
그리워서 찾은 너이기에

아마 너는 나를 더 많이 사랑하겠지
그리고 밤마다 더욱 슬퍼하겠지
내 그대를 찾아가면 안 되겠구나

지금 내 마음 너무 아프더라도
그 아픔마저 사랑했기에
그 아픔마저 그대와의 추억이기에

만약 내가 다시 그때로 돌아간다면
나를 찾아가야겠구나
지금처럼, 변함없이 사랑하라고

사진

어떤 사진은 하도 많이 꺼내보아
주름지고 손때 묻은 추억이 되었다
사진첩 수많은 사진 중
유독 액자에 넣어 매일 아침 보고 싶은
그런 기억의 조각들이 있다

스쳐 간 나의 인연들 소중한 순간들
나의 선물이자 내가 진 빚의 기억들
다른 이의 사진첩에
내 빚을 갚아내야 한다
그들에게도 닳고 닳은
한 장의 사진을 남겨주기 위해

멋지게 차려입고
있는 힘껏 예쁜 미소를 지어본다
훗날 네가 다시 이곳을 찾을 때
나와 닮은 미소가 흘러나오길
너 또한 행복한 빚쟁이가 되어있길
너 또한 닳고 닳은 한 장의 사진으로 남길

만유인력

세상 모든 존재들은
서로를 끌어당긴다 하던데

우리가 여태 함께 공전했음은
서로를 힘차게 끌어당겨서 였을까

보이지 않는 실에 얽혀
지구와 달처럼 평생을 바라보았더라

밀물이 들어오고 썰물이 빠져나갈 때
바싹 마른 모래사장이 촉촉이 젖을 때

우리의 마음이 여전히 수줍게 찰랑거렸음을
우리가 여전히 서로를 끌어당기고 있음을

결국은 바다에 모이는데

너는 어디에서 흘렀느냐
낙동강에서 왔느냐
한강에서 왔느냐
동강에서 왔구나
영산강을 둘러 왔구나

결국 바다에서 만날 줄 알았다면
우리가 같은 바다에서 흩어진 줄 알았다면
우리가 어디를 흘렀음이
그다지 중요하지 않음을 왜 몰랐을까

우리는 한 바다의 일부였음을
우리는 서로의 일부였음을

분침과 시침

시침과 분침이 달리기를 시작한다
분침이 성큼성큼 앞으로 달려나간다
한 바퀴 휘이 돌았을까?
눈앞엔 느릿느릿 걸어가는 시침의 뒷모습
정신없이 앞만 보고 달렸을 때
시침 한 발자국 떼기가 얼마나 힘들었는지
처음엔 미처 알지 못했다
한 바퀴를 다 돌고 나서야 나는 시침이 되었다

갓 태어난 분침이 째깍째깍 뛰어나간다
아마 한 바퀴 휘이 돌겠지
그리고 그때서야 시침의 뒷모습을 바라보겠지
내가 보았던 것처럼 내가 그랬던 것처럼
우리는 언젠가 모두 분침에서 시침이 되겠지

무색무취

끼 많고 흥 많던 이들이
맷돌 구멍에 들어갑니다

드르륵 드르륵

그리 오래 걸리지 않아
맷돌 밑에 고이는
구별되지 않는
무색무취의 존재들

맷돌 구멍 입구에서
마지막 목소리를 높인다

드르륵 드르륵

그 길이 어찌나 길던지

주말의 군부대 반가운 외출
부대 정문을 통과하고 얼마나 지났을까?
뜻밖의 연락 할머니와의 이별
부대원들과 이별하고
할머니에게 돌아가기 위해
다시 부대로 돌아가는 무거운 발걸음

부대 정문을 통과하면 나오는
진해의 아름다운 가로수길
정문을 보며 뛰듯이 걸어 나왔던
설레이던 뜀박질이
차분하게 내려앉은 이곳의 낙엽처럼
바스러진 걸음걸이가 되었다

그 길이 어찌나 길던지
나는 내 걸음이 멈췄다 생각했다
부지런히 걸어도
부지런히 걷지 않았어도
그 길은 언제가 끝이 났겠지
끝나버린 우리의 연처럼

외출증을 휴가증으로 바꾸고
터벅터벅 걸어 다시 만난 헌병
하이바 아래 의아한 표정
휴가증을 돌려주는 그의 손
휴가증을 돌려받는 나의 손
우리의 손은 미세하게 떨리고 있었다
수고하십시오 고생많으십니다
주고받는 인사말에 괜시리 위로받는

그 길이 어찌나 길던지

N포세대

결혼 포기했다고 사랑마저 포기하진 않았고
집을 포기했다고 따뜻함마저 포기하진 않았고
취업을 포기했다고 삶을 포기하진 않았다

세상의 기준에 비록 성이 차지 않을지라도
이 세상 곳곳에서 뜨겁게 살아가고 있음을
얼어붙은 이 세상에 작은 온기를 더하고 있음을

우리 나이를 거쳤다 하더라도
우리 시대를 살아보진 못했기에
응원받을 곳 하나 없는 N포세대

그래도 우리는 여전히 사랑하며 살고 있습니다
아마 우린 어떤 세대든 공감하며 살 수 있겠지
오르지 못할 세상을 눈앞에서 부딪쳐 왔기에
아마 다음 세대엔 그다지 모질게 굴지 않겠지

내 살아보았다고 쉬이 판단하지 않겠으며
내 겪어보았다고 쉬이 판단하지 않겠습니다
똑같은 과정이라 한들, 어찌 똑같이 느끼랴
언젠간 일어설 N포 세대의 다짐

눈 내린 절경

태초의 인간들은 눈을 보고 설레였을까
태초의 아이들은 신난 강아지가 되었을까
추위를 피해 불 옆에 쪼그려 앉았을까
먹을 것이 없어 주린 배 끌어안고 참아야 했을까

하얗게 변해버린 아침 풍경에
미소가 지어진다면
아, 그대는 행복한 사람일 것이다

한숨과 원망이 터져 나오는
산언저리 마을들
한 서린 숨결에 삶의 혈관이
턱 막혀버리는 눈 내린 산동네
꽁꽁 얼어붙는 사람들

눈 덮힌 산동네 보이는 전망 좋은 카페
튼튼한 전면 유리창으로 나누어진 분단의 세상
이곳엔 그들의 숨결이 닿지 않아
포근한 온기가 흘러넘친다
나의 행복 또한 저 산허리 닿지 않겠지

슬픔의 유통기한

세상의 모든 슬픔은 태어나면서
유통기한을 찍고 나온다고 한다
슬픔의 유통기한이 지나면
사람들은 슬픔을 잊어버린다고 한다

슬픔의 유통기한이 지났는데
슬픔을 놓아 보내지 못하는 사람이 있다
내 슬픔이 끝날 때 즈음
여전히 슬퍼하는 그대에게 물었다

저기 유통기한 다 되었어요
알아요 알아요
아직 슬픈 냄새가 처음처럼 나는 걸요
슬픈 미소를 띤 그대가 답했다

그대의 슬픔에는 덩그러니
제조 일자 하나만 찍혀있었다
그대는 그날부터 슬펐고
앞으로도 계속 슬플 것이라고 한다

슬픔의 유통기한이 끝나고
우리는 잠시 행복했을까?
다시 새로운 슬픔이 찾아온다
세상은 매번 신제품을 내놓는다

마음의 냉장고 유난히 차가운 구석에
언제 들어왔는지 기억도 나지 않는
개봉도 하지 않은 정체모를 검은 봉다리
이번엔 아주 오래오래 아플 예정인가 보다

장기 투병자의 가족

대답 없이 누워있는
그대를 바라보는 나
왜 내 삶엔 예고편이 없을까

자막 없는 흑백 외국영화
대사 한마디 알아듣지 못했는데
그들의 연기는 슬퍼 보이더라

오래된 영화여서 그랬을까
뿌옇게 번져나가는 스크린
무르팍에 뚝뚝 떨어지는 슬픈 시퀀스

슬픈 영화인데
그래도 끝나지 말았으면 하는
어느 외국의 흑백 영화관

지하철 순환선

안내방송에 눈을 떴다 언제 잠들었을까
활짝 열려있는 지하철 문 나는 종점에 와있었다

인적없이 비어있는 야외 승강장 불 꺼진 자판기
나는 계획하지 않은 시간에 종점에 도착했다

손에 들린 가방 속 결재를 기다리는 서류들
꾸겨진 영수증 어디선가 챙긴 일회용 냅킨
빙빙 도는 순환선에서
나는 예고 없이 종점에 도착했다

종점에 이르니
내가 그다지 용기없이 살았음을
텅 빈 지하철에서 내 자리 뺏길까
엉덩이 떼지 못한 겁많은 어른이었다는걸

정처 없이 흘러가는 인생에
잔뜩 겁먹은 나머지
자유를 선택한 겁 없는 이탈자들
그들은 겁이 많아 자유로워졌는지도 모르겠다

수평선에 뜨는 별

늦은 밤, 수평선에서
떠오르는 별들이 있다
파도를 따라서 넘실넘실
춤을 추는 별들이 있다

바람 소리에
가만히 귀를 기울이다 보면
땀과 바닷물에 푹 젖은
별들의 노래가 들려온다

내 시선의 끝에서 불어오는
역동적인 삶의 노래에
단단한 땅 위에서 어지러워했던
연약한 나의 삶이 부끄러워진다

기차역 나그네들

어디로 갈지 몰라
어쩌면 이곳이 목적지일지도 모르는
갈 곳 없는 나그네들 북적이는 기차역

신문지 한 장, 소주 한 병, 검은 비닐봉지
검소한 나그네 타의적 미니멀리스트

떠나고 싶은 마음 굴뚝같지만
막상 찾아온 기차역엔 나의 목적지가 없구나

이곳이 시작점일지 나의 종착역일지
아니 이곳은 나의 간이역일 것이다

빈손으로 태어나 빈손으로 돌아가기에
내 빈손 그다지 무색하지 않구나

다만 텅 빈손 땅 딛고 일어서기엔
바닥이 너무 차갑구나

짝사랑

세상은 우리의 삶에 그다지 관심 없고
우리의 사랑은 짝사랑에 머물더라
사랑은 결코 이별에 무뎌지지 않기에
결코 돌아보지 않을 세상임에도 놓칠 수 없었다

짝사랑의 단골결말 이별의 고백
나 혼자 끙끙 앓던 지독한 사랑이 끝났다
세상은 어제의 세상과 별반 다르지 않고
세상에 어깨걸고 걸어가는 1차선 일방통행

좋은 시만 쓰기에는 세상이 너무 쓰더라

낯선 커피 향

출근길 테이크아웃 커피
냉기가 송글송글 맺힌
아이스 아메리카노
따듯한 커피 식혀 먹을 시간이 어디 있어

빨대를 따라 올라오는
씁쓸하고 텁텁한
정신 번쩍 드는 에티오피아 출신 각성제
도시 사람들의 저렴한 보약

자동차 주유구에 기름을 넣듯
달리기 위해 커피를 넣었건만
점심시간 커피 한잔 들고 복귀하는
연비 좋지 않은 우리들

느지막히 시작하는 주말의 아침
오늘은 따듯한 커피를 마시는 날
어 커피 향이 좋다 너 되게 낯설다
커피의 반전매력 낯선 그대의 향기

그것 무엇하러 하냐

돈 될 일을 해라
엎은 일에 신경 쏟지 말고
아따 이거 해야 쓴단께
내가 해봐서 알어

10년 살던, 60년 살던
인생 한번 살아보는 것은
매한가지인데
감 놔라 배 놔라

인생 두 번 살아본 이
어느 누구 있다고
그것 무엇하러 하냐
그 말 무엇하러 하냐

주관식 시험지에 컴퓨터용 사인펜
모스부호라도 찍으려는지
연필 하나 따로 챙겨놓고
슥슥 써내려가는 나의 시험지

답처럼 살면 답 없어지는
답 없는 인생에서 어찌 답 찾으랴
채점하는 이 하나 없는데
시험감독 두어 무엇하랴

우울증 걸린 시인

웃으라 말해놓고
행복하자 적어놓고
내가 우울하다 어쩌지

세상만사 통달한 채
도인 흉내는 다 냈는데
이걸 어쩌면 좋냐
약장수 시인이 되어 버렸네

이곳은 양심의 법정
내 죄는 독자를 기만한 죄
피고, 최후 변론하세요
즐거운 글을 쓰면서 즐겁고 싶었습니다
우울한 글은 팔리지가 않거든요

너무 양심적인 답변에
흠칫 놀라는 독자참여재판
우울증 아닌 거 같은데?
웅성대는 방청객들
늘어나는 죄목, 늘어나는 형량
괘씸죄 하나 추가되었더라

창작의 감방에 갇히어 끄적이는 나의 시
즐겁게 썼습니다, 쇠고랑 찬 채
이번 시는 자유시입니다
시와 내 삶의 간극이 점점 더 멀어지는
슬기로운 창작 생활

굳은살

펄펄 끓는 기름 튀어도 눈 하나 깜짝하지 않고
펄펄 끓는 뚝배기 맨손으로 부여잡고
녹아내릴 듯한 숯가마 앞 열기를 버텨내는
누구보다 손이 굳은 이들이 있다

처음엔 그들도 깜짝 놀라
찬물에 놀란 손 휘휘 저으며
눈물 한 방울 찔끔했겠지
며칠을 물집으로 끙끙댔겠지

시간에 무뎌지고 통증에 무뎌지고
나도 모르는 사이 내 손 돌댕이 될 때
펄펄 끓는 기름 앞에서 찌는 듯한 숯가마 앞에서
뜨거움 느끼지 못하는 굳은살이 되어버렸다

비록 내 손 뜨거움 느끼지 못하지만
이 손을 만든 것은 내 뜨거운 마음이라
펄펄 끓는 마음이 있었기에
내 뜨거움에 무뎌진 세상의 뜨거움이 있더라

그대로 느껴라

작가의 손을 떠난 시를 두고
어떻게 느껴야 할 지
그다지 고민할 필요 없는 이유는
죽어있는 종이의 잉크에서
힘차게 뛰는 그대의 심장에 아로새길
새로운 시가 되었음에
오롯이 그대만 남기어 옳게 느껴라

우리가 얼굴없이 대면하였기에
내가 미소를 담았던 슬픔을 흘렸든
그대는 결코 알 수 없음에
그대의 미소를 담고, 그대의 슬픔을 흘려라
내 손을 떠난 이제부턴 그대의 시
그대를 버리고 시를 이해하지 말고
세상을 버리고 오롯이 그대만 남기어라

조지영

꽃으로 버무려낸 사랑과 시와 인생

꽃들에 대한
학습된 이미지를 내려놓고
순수한 호기심으로
낯설게 마주한 첫 봄이었다
자분자분 들려주는
그네들의 이야기에 도취되어
마음으로 보고 들으며 빠져들었다
꽃들은 사랑과 이별
고통과 상실
인내와 공감으로 버무려져
시가 되어 피어났고
미처 다 듣지 못한 이야기는
내년을 기약했다
다음을 말하는 약속은
사랑을 품고 살아 내야 할
이유가 되었다
꽃들이 떠난 가지에는
연두 잎사귀들이
햇빛의 사랑을 받아
진한 초록물로 번져가고 있다

2021. 봄이지는 길목에서
조지영

_ 시인의 말

꽃바람

봄바람 속에
꽃바람이 불어요

얼어붙었던 마음에도
싱그러운 꽃바람이
문을 열라고
똑, 똑, 똑 두드리네요

미련 없이
얼른 활짝 열어야 하는데
지난겨울
눈보라의 서러움이
놓아주질 않네요

서러움 뒤에야
비로소 알게 된
향기로운 꽃바람의
기쁜 입맞춤

꽃 비빔밥

설레임꽃 하나에 기쁨 한 수저
사랑꽃 하나에 감사 한 젓가락
그리움꽃 하나에 눈물 한 꼬집
소복이 올려
삭삭 비벼봅니다

매콤 짭짜름
고소하고 달큼하게
한입 가득 차오르는 것이
사람 사는 맛인가 봅니다

사랑초

겨우내 살금살금
손이 닿지 않던
창문 앞에 누웠더니

계절 사이 넘실대는
보드레 봄 햇살
성큼 들어찬 오후

시름시름 앓던 마음 달래
배시시 깨어난 눈웃음

곁에 있겠다던 약속
장하게 지켜낸
너였구나, 사랑초

슬픈 봄날

남산 너머 저 둔덕 어디엔가
봄님이 오시는가
기린 목을 주욱 빼고 앉아
미련의 마음 거두지 못하고
한껏 올려다본다

흐드러지게 화사했던 꽃의 향연 속에
미아가 되어 너를 찾아 헤매다
운동화 뒤축 다 닳던 그 봄날
하얀 꽃이 머리 위까지 늘어져
한껏 너울거리니 손을 뻗으면 잡힐 듯했다

그래서 그리 슬펐나 보다

충만하게 넘치는 봄기운 속에
너는 그렇게 가버리고
그 봄날의 단상은 그래도 찬연했다

달개비

그냥 풀인 줄 알았던
여린 잎사귀 사이에서
하룻밤 새
소담한 꽃이 피어났다

작고 연약한 꽃잎
너무 사랑스러워
마냥 들여다보며 행복했다

그렇지만
사랑하지 않기로 한다
궁금하고 걱정되어
사랑이라는 각진 화분에
너를 가둘 터이니

제비꽃

겨울 풀섶 이불 위로
한겨울 이겨내고
삐죽이 나온 보랏빛 아기 달
별님 친구 잠시 잊고
대지 품에 내려앉아
나비잠들 때
올망졸망 키재기
기우제 올리는 큰절이
제법 미쁘구나

냉이꽃

조각달님 마중 나와
살포시 떠오르던 저녁

냉이꽃 뽀얀 얼굴
수줍은 하얀 미소
보조개 우물에선
샘솟는 물음표 한 동이

두 손 뒤
팔딱팔딱 두근거림
풋풋한 설레임

달차근했던 첫 만남의 여운은
밤바다 깊은 어둠 속에 숨어
굳어버린 바위 어디쯤 머물다

냉이꽃 뽀얀 얼굴
그리움의 파도 되어 들락날락

바람과 꽃의 대화

하얀 꽃잎 은하수 길을 걸으면
바람결에 안겨드는 꽃잎들

어디로 가고 싶니
네 그림자 눕는 곳에
꽃수를 놓아 풀냄새 가득한 요를 깔고
손바닥 톡톡 두드려 너를 맞이할 거야

날 데려다줄 수 있겠어
나에게 네 꽃잎 실어준다면
분홍 입술 베어 문 꽃물결 따라
온 우주를 내달릴 테야

삼백육십 개의 해가 너를 비추는 그 날까지
네 마음의 고요가 나를 기다려준다면
어느 시인의 고이 접어둔 노트에 머물다

기쁨 가득 안고 인사를 전할게
하늘과 구름, 산과 새들이 네 품 안에 들듯이

민들레의 용기

화려한 날개옷 입고
스치는 눈길마다
사로잡고 싶지 않은
꽃이 있을까

진한 향기 내뿜어
벌과 나비 부르고 싶지 않은
꽃이 어디 있을까

사계절 내내 피고 또 피어
오래오래 꿀을 거두고 싶지 않은
그런 꽃이 어디 있을까

그러나 모두 허락되지 않았다
단지 허락하신 만큼의 흙을
칭얼거림도 없이 알뜰히 품었다

손톱만큼의 희망으로
기어이 돋우어 낸 잎사귀
그 가운데 아득함으로
내밀어 진 용기의 꽃

벗들이여
눈물과 땀을 한데 섞어
조용히 머금은 용기의 꽃을 위해
노래도 하고 춤도 추자

추운 겨울 이겨내고
모든 이를 사랑으로 매혹하는
계절이 왔으니
푸른 팔을 벌려 맘껏 행복해지자

비록 빈 가슴일지라도
초라한 빈손일지라도

동백 화흔(花痕)

우연처럼 맞닿은 운명 위에
차가운 바람결 머물자
너는 나에게로 와
붉은 꽃으로 피어났다

붉은 입술의 입맞춤
얼어버린 모든 감각 일깨워
가슴은 온통 붉은빛으로
뜨겁게 불타오르고
하늘의 문을 열어
달빛 아래 너울거리는
붉은빛은 환희의 한바탕 춤판이었다

단단한 잎사귀들에 싸여
해 저문 어느 날
그저 오해였을지도 모를
원망의 엉킨 실타래를 움켜쥐고
너는 붉은 눈물을 뚝. 뚝. 떨구었다
깊이를 가늠할 수 없는
흐르는 강물 위로
송두리째 내던져진

너의 붉은 눈물

귓가에 속삭이며 한껏 치장하던
붉은 만개의 사랑은
그렇게 떠나가 버리고
붉은 입술 진 자리
화흔(花痕) 되어 남겨졌다

붉은 꽃 그림자 지는 언덕
떨어져 누운 네 꽃 무덤은
처절한 내 사랑의 무덤
차가운 바람 불어와
화흔(花痕)의 진액 마르고 또 마르니
언젠가 붉은 꽃잎 다시 피어나
비로소 완성되는 동백
비로소 완성되는 우리의 사랑

벚꽃

작고 여린 꽃무리에
기억의 눈길 머물자
흰 꽃잎 하나, 둘
추억되어 날리고

꽃가지 걸린 꽃구름에
놓지 못하는 마음 머물자
연분홍 꽃잎 하나, 둘
눈물 되어 날린다

언제나
너를 향한 그리움의 날갯짓
사시랑이 꽃잎 되어
너의 가슴밭으로
날아갈 수 있을까

벚꽃엔딩

지난겨울 너와 나 사이에 존재하던
그 거리만큼의 공허함이
눈꽃으로 내려 스러졌음을 기억했다

그날의 이별이
찐득한 미련들로 채워져
오히려 생경한 장면으로 교차편집 될 무렵
너 없는 그 거리에선 추적추적 꽃비가 내렸다

조금은 아름다워질 너와 나의 스러짐
그래도 위안이 되는 것은
거리를 누비던 눈송이들 시린 가슴에 재웠듯

하나의 시간과 하나의 추억을 묻었던 그 거리
낙인되어 존재하던 우리의 흔적들
아름다운 꽃으로 만개하였고
잠시 나누었던 해후의 기쁨, 꽃비 되어
반짝이는 봄빛 잔상으로 녹아 씻기었다

달빛 편지

사랑에 겨워
다하지 못한 말이
마음 둑을 넘칠 때면
또박또박 눌러 쓴
손 편지를 그대에게 띄워
꼬리별 달고 소원을 빌 듯
선선히 가 닿기를 빌었다

그대 품 안에 들지 못하는 밤
맑은 달빛 종이 위에
두 손 단단히 붙잡은
그리움의 씨실이 풀리면
외로움의 별빛 날실을 엮어
그대에게 편지를 쓴다

사각거리는 편지지 위에
은색 달빛 물들어
그대에게 환하게 전해진다면
나, 사랑의 속삭임
그대 고요한 가슴에 묻고

그대 눈물로 얼룩져 투명해진 편지라면
나, 청정한 돌을볕에 입술을 열어
그대에게 다하지 못한 말
고요히 담아내어
이울기를 기다리겠다

천만 송이 설화

봄 햇살 받는 소리
꽃망울 터지는 소리
봄 익어가는 소리

잎사귀의 박수도 없이
설한 이겨낸 고단함 묻고
떨리는 향내 조용히 말아 올려
피어나는 천만송이 설화

하얀 꽃잎 흩날리며
며칠 더 머무르기를 마다하고
총총히 떠나가 버리면

일더위 앞둔 여름날
솜털 보송한 초록 가실
원당에 쓱쓱 버무려
마음 한 병에 꼭꼭 눌러 담고

백번의 해지는 노을
꽃잠 진액 모두 빠질 즈음
달큼하게 익어가는

삶의 쓰고 떫은맛

지치고 아린 상처
고통스러운 열기
얼음 동동 띄워 식혀내려
그리 급하게 가버렸나 보다

낙화목련

네가 오던 날 너의 하얀 미소를
가만히 내 마음에 담았다
순수한 웃음 속에 피어난
너의 진한 기억의 꽃잎은
농밀한 선율, 다채로운 빛으로
데칼코마니 되어 새겨지고
일 년을 기다릴, 그 세월이 아득한 나는
분내 나는 너의 가슴에 얼굴을 묻고
너의 체취를 흠뻑 들이마셨다

네가 왔던 하늘길
한껏 품었던 나락의 문턱에서
너는 그 하늘의 무게로 내려앉고
어두운 골목 언저리로 사라져
차라리 잊으라 한다
갈피를 잡지 못하는 내 마음
목련꽃 되어 떨어지고
가지엔 그리움만 걸렸다

수선화 옆에서

두 손 모으고 피어
기도하는 네 뒷모습
너인지 알아보는 것은
일도 아니었지

바람이라도 불어야
잠깐씩 나를 향하는
너의 눈길은
실낱같은 희망
품었던 소원이었지

너무 소중한 건
꼭 잃게 된다는 숙명이
손 짓을 한다 해도
네가 뿌리 내린 흙에
함께 묻히기만을
두 손 모아 기도했지

꽃은 지고

한번 피어나
한번 지는 것이 순리라 해서
조금만 더 피어 있기를 바랐다

피어있는 동안
진한 향기 내고
글과 그림 되어
흔적이라도 남기를 바랐다

막상 지고 나니
너를 담아내었던
텅 빈 마음만 남더라

씀바귀꽃

덩치 큰 은행나무
그림자 옮겨가며
그늘도 되고
우산도 되어주는 사이
노랑 치마 입고
파르르
떨고 있는 씀바귀꽃
떠나지 마라
비바람 거센 오후
헛헛한 흐느낌을
누가 들어 줄까
토해내는 눈물
마다않고 받아주는
너라도 남아주기를

꽃의 시체

서슬 퍼런 추위를 피해
너를 향한 그리움을
온실 안으로 들여놓았다

너는 그곳에서 다시 싹을 틔우고
꽃으로 화답해 주었다
그러나 우리가 함께 드리운
온실 안의 시간은
바닥을 나뒹구는
씨 없는 껍데기일 뿐

그리움을 덧입은 집착으로
연을 끊어낸 날 선 상실은
꽃의 시체
씨 없는 껍데기가 되어
그리움의 온실조차
폭풍처럼 집어삼키고야 말았다

마른 꽃향기

당신을 향한
상실의 그림자
마른 꽃 되어
바스락 마음 벽에 걸어 두었다

인연의 침묵은
시간을 거스르지 않기에
당신이 누군가의 무엇으로
존재한다 해도
이제 나는
그리 아프지가 않다

목마르던 따스함과
시린 추억들로
진하게 배어든
그 향기가
마른 꽃 되어
다시 피어났기에

향수

봄꽃 향기 진동하는 계절인데도
나는 당신의 향기를 그리는 조향사

아름다운 꽃들조차
흉내 낼 수 없는 당신의 향기를
나의 사랑 수에 한 방울씩 녹여내요

당신의 향기가 완성되면
정수리와 손목에 살며시 뿌려
온종일 당신의 향기를 간직해요

당신, 거기 있나요
나는 언제나 당신을 느낄 수 있는데

꽃차

말간 추억을 끓여
한 김이 빠져나가면
잘 말린 사랑 꽃, 한 줌 띄워
꽃차를 만든다

부드러운 바람에 부서지는 햇살
유리 찻잔 가득 우려내고
피어오르는 살굿빛 향기
따스하게 한 모금 입에 물면
옅은 단맛 끝에 걸리는
떫고 쌉쌀한 맛
온몸에 퍼지는 온기는
지난밤 부어오른 컬컬한 그리움을
넌지시 쓸어내리고

찻잔 안에 남겨진 꽃잎 위로
여전히 머물러 있는 네가 보여
어찌할 바를 몰라, 그저
한참을 바라만 보았다

함박꽃 아이

어디선가 딸려 나온
빛바랜 사진 한 장
온몸이 뒤틀리는 아픔 속에서도
환한 함박꽃웃음이
여전하구나

너의 병실 앞에 선 나는
두려움에 휘감겨
준비도 안 된 미련을 떨구고 서 있었다

조금씩 차가워져 가는 네 손 위에
내 손을 포개어 얹는 순간
오히려 나를 살포시 토닥이는
네 마음이 와 닿아
미련은 별 하나가 되어 또르르 떨어지고

너를 지키던 기계의 숫자들이
점점 작아져 희미해져 가는 순간
너와의 추억을 불러
작은 소리로 네 귓가에 읊조리니
옅어진 너의 미소

투명한 함박꽃잎 되어 하늘로 올랐다

더 많이 함께하지 못해
미안하고 또 미안한 마음
저버린 꽃잎 되어 날리는 날이면
나는 너의 하늘에 함박꽃을 그린다

기억해 주렴
너의 함박웃음으로 존재의 의미를
되찾곤 했던 사람이 있었다는 것을

함박꽃 아이는 뇌 병변이라는 장애를 가지고 태어났지만
그의 순수한 영혼은 사람들에게 위로를 주기에 충분했지요.

꿈

바람 따라 흔들리는 댓잎사귀
쏴아아 쏴아아
그러다 부러질라
휘청거릴지언정 고개 숙이지 마라

감각의 문을 닫아
과거의 미련을 심었으나
미래를 향해 뻗어 간 명징의 마디마디

고된 절망은 일찌감치 묻어버리고
꽃보다는 줄기를
추락보다는 성장을 향한
꺾이지 아니한 그것은
'꿈'이었다

나의 꿈

어제의 하루와
오늘의 하루가 모여
내일이 되고
내일과 또 내일이 쌓여
만드는 미래
꿈을 가지고 있니?
아니
그저 오늘을 사는 일에
최선을 다할 뿐

그리고
나의 쓸모가
온전히 만들어질 때까지
참고, 때로는 버티며
기다리기

그렇게 어떤 모습으로
천천히 만들어져 가는
나.

반쪽의 이끌림

존재의 의미조차
티끌이 되어 버리는
우주의 신비한 기운은
아무것도 구별할 수 없는
아득함이었다

찬란히 흩뿌려진
무수한 별 가운데
알 수 없는 이끌림, 우연, 운명
그렇게 반쪽별을 마주한
기적의 순간
마침내 떠오르는 둥근별

함께 머무르되
더욱 빛나는 별이 되라고
꼭 맞는 품을 기꺼이 내어주는
믿음과 의지의 별
밤하늘 만월(滿月)이 되는
사랑의 별

한 사람

마음속 어둡고 깊은 곳에
이미 존재했던 것처럼
푸른 꽃으로 온 당신

나의 작은 손짓에
마음을 활짝 열어주셨죠

가끔 흐트러지는 마음결
단정히 여며 주던
다정한 손길
아직도 마음 깃에
온기 되어 머무르는데

그리움의
잔잔한 물결 밀려와도
고즈넉하기만 합니다

그런 한 사람, 당신

생계

새벽녘 고개 떨군 작은 은방울꽃
아직은 떨어지지도 기화되지도 않았던
지나간 시간 속에 매달린 기억의 이슬
조용히 숨죽여 울었다

쪽빛으로 물든 서러운 창에
순결했던 한 줌의 기억이 밀물 되어 차오르면
끝이 보이지 않던 어둑한 새벽길 위엔
차가운 회색 안개만이 가득했다

아득하던 안개 걷힌 이른 아침
어제보다 푸른 하늘과 선명해진 도시엔
일없는 비둘기들이 아침잠에 들고
고개 떨군 작은 은방울꽃
젖은 눈 훔쳐내고
또다시, 어제의 그 길을 나선다

삶의 숙제

삶은 어쩌면
내 안의 감정들을 다루어 내는 일
어떻게 다루느냐에 따라
향기가 달라지니
무거운 돌덩이가
며칠째 가슴에 자리 잡고 앉아
꿈쩍하지 않을 때에도
불같은 마음 일어 휘청거릴 때에도
그것은 온전히 나의 몫이었다

오랜 시간 가슴앓이 하며
내면을 채우는 난장
아직도 그 혼란스러움을
끝내 이기지 못하는 삶의 미숙함
이 또한 기나긴 숙제이니
다 풀어내는 날
소담하고 노란 프리지어 한 다발
그 앞에 받쳐내리

역병의 홀씨

일주일에 한 번 비강을 타고 들어오는
가늘고 긴 연필 한 자루가
목을 지나 폐부까지 관통하니
그 구멍으로 차디찬 글바람이 불었다
끝이 보이지 않게 늘어선 역병의 그림자
검은 손바닥으로 목덜미를 훑어
기다림의 긴장은 늘 서늘했기에
강아지가 제 몸을 털 듯 진저리를 치며
역병이 떨어져 나가기를 바랐다
누군가를 만날 수도
어디론가 떠날 수도 없는 긴 시간 속에
제 살을 깎는 연필 한 자루
글바람 되어 시인의 어둑한 밤을 밝히고
어딘가에 있을 춤추는 별을 찾아 나선
시인의 외로운 여행은 꿈속에 있었다
검은 그림자 속에 꽃과 바람과 햇살을 그린
시인의 책은 머리맡에 쌓이고
고통과 아픔을 담은 고된 시어들은
낯선 이방인의 홀씨 되어 흩어져 날렸다

구겨진 마음

말 몇 마디에 잘도 구겨지는 마음
그럴 때면 순한 풀을 쑤어
바락바락 풀을 먹였다

감나무 사이 빨랫줄 단단히 묶어
풀 먹인 마음 힘껏 털어 널면
따스한 햇살 쏟아져 내리고
내처 불어오는 습습한 봄바람에
구겨진 마음 팽팽히 마르기를 기다렸다

개나리꽃 울타리 언저리
아지랑이 얌전히 아른거리고
마당 그늘 누워있던 누렁이
무거운 눈꺼풀 내려앉을 즈음
북어 껍질처럼 가벼워진 마음 내려
시원한 물 한 대접에 미끈하게 다려내면
그 말 몇 마디
스르륵 미끄러져 내릴 테니

Specialty Coffee

누구는
콜롬비아, 에티오피아, 케냐
고향의 향기가

누구는
신맛과 쓴맛의
뜨거운 조화가

누구는
분쇄와 추출의
밀당이

맛을 좌우 한다더라

하지만 나는
별이든 두 개의 섬이든
시 하나 주우면
그날 커피 맛이 최고더라

배달의 정석

손가락 두어 번에
김이 모락모락 오르는
음식들이 도착한다

별 세 개 휴지통
별 네 개 냉장고에 철썩
별 다섯 개 저장

다채로운 요리
즐거운 식탁
그런데
먹어도 고픈 배

사랑 톡톡은
주문 안 되나

그리다

여섯 살 어느 여름밤
넓은 아빠 등에 업혀
논둑길을 걸었다
뽀얀 달님 따라와
노란 달맞이꽃 사이
일렁일렁 거닐었고
곡조 없는 개구리 울음소리
짧은 여름밤을 재촉하듯
서글피 울었다

등 뒤 깊고 까만 어둠이
커다란 손을 덥석 내밀 것만 같아
굵은 목을 힘주어 끌어안으면
"아빠가 있는데 뭐가 무서워"
다정한 등 울림 목소리
따뜻한 어루만짐의 소리
등에 업혀 걸었던 논둑길
아직 그대로인데 그 목소리
오늘 밤 들리지 않는다

맘껏 반짝여도 좋다

젊은이들이여 맘껏 반짝여라
그 열심을 통해 스스로 배울 것이며
그 반짝임에 누군가는 행복할 것이며
소박하지만 사람을 위해 사는
아름다운 열정의 별빛으로
세상이 조금 더 아름다워질 테니
젊은이들이여,
오늘 밤
맘껏 반짝여도 좋다

보이지 않는 곳에서 우리사회의 도움이 필요한 누군가를 위해
지금 이 시간에도 묵묵히 애쓰고 있는 청년사회복지사들을 응원합니다.

양복선

사랑역 이별출구

그저
이 보잘 것 없는 글쟁이의 시에
누군가가 떠올랐다면
저는 그것으로 되었습니다

사랑역 이별출구

이 역에서 내리는 사람도
이 역에서 타는 사람도

아껴주기를

출구에서 만나는 사람도
출구에서 헤어지는 사람도

행복하기를

평행세계

그곳에서는 이루어졌기를

이제는 추억이 된 너에게

시간이 지나
한번이라도 나를 떠올렸으면

나만큼 너를 사랑했던 사람이
없다는 걸 알아챘으면

작은 기억의 파편 속
단 한 조각으로라도

너의 생의 일부가 되었으면

그랬으면
되었다

인생

나보다 나를 사랑해주는
부모를 만났고

언제나 곁에 있어주는
친구를 만났고

내 목숨을 다 바쳐 지키고 싶은
너를 만났다

태어나서 다행이다

짝사랑

그런 글을 본 적이 있다

나를 상처 입히고 내 모습까지 잃어가면서
상대방에게 맞춰야 하는 그런 관계는
끊어 버려야 한다고

나도 알고 있다

그런 관계는
매일이 고통이고
마음이 칼로 난도질당하는
기분이라는 것을

하지만

그렇게라도
난 너를 보고 싶었다

길

이 길의 끝에는
아픔이 없기를

이 길을 지나는
동안만 아프기를

이 길을 걸을 때만
그대를 생각하기를

만약 소원이 있다면

이 길을 다시
거꾸로 걸을 수 있게 되길

첫사랑

이제는 단번에
얼굴이 떠오르지 않습니다

나를 보며 웃던 얼굴도
나를 부르던 목소리도
흐릿해졌습니다

하지만 당신이

레몬 아이스티를 좋아하는 것도
새벽 드라이브를 좋아하는 것도

바나나를 싫어하는 것도
추운 날씨를 싫어하는 것도

난 아직 기억하고 있습니다

첫 만남

보일 리 없는 별 하나
반짝 거리고

숨 쉬는 법도
눈 깜빡 거리는 법도
까먹기라도 한 듯

내 모든 것이
내 것이 아니게 되었다

너를 처음 본 순간 이미
내 몸에 내 것은 남아 있지 않았다

메모

네가 먹고 싶다던
굴찜 집주소도

네가 좋아한다던
초코케이크 집도

네가 좋아하던
노래들도

네가 먹지 못하는
음식들도

아직까지 남아 있어
네가 없어진 줄도 모르고

백년

너를 잊으라 하는데
이번 생은 너무 짧다

달

저 달을 따라가면
그대가 있을까요

저 달은
그녀가 있는 곳을
알고 있을까요

유난히도 초승달을
좋아했던 그녀도
저 달을 보고 있을까요

모습이 변해도
하루는 그녀가 좋아하는
모양으로 변하던 저 달은

왜 내게는
이리 아픈 가시가
된 걸 까요

약자

더 많이 사랑한다고
막 대해도 되는 건 아니야

더 많이 사랑한다고
약자가 아니야

명심해

더 많이 사랑한 쪽보다
더 많이 사랑받은 쪽이

눈물 흘리니까

욕심

그대에 가려 보이지
않았네

그대에 가려 들리지
않았네

그대에 가려 해보지
않았네

관계

참았다

언젠가는 내 희생을 내 마음을
알아줄 거라고 생각했다

믿었다

진심으로 대하면
큰 사랑을 주면
그 사람의 마음이 돌아설 것이라고

아니었다

사람의 마음이라는 것은
한쪽이 아무리 노력해도

절대 바뀌지 않는 다는 것을
이제 알게 되었다

2AM

어쩌면

내가 가장 보고 싶은 것은

네가 아니라

너를 좋아했던

그 시절의 나일지도

벚꽃

분홍비가 내렸다
그 비의 끝을 알기에
온몸으로 비를 맞았다

온힘을 다해
죽어가고 있는 그들을
사랑했다

사랑했다
저 벚꽃처럼

마지막도 분명
아름다울 줄 알았다

운명

가까이 있어도
손이 닿지 않을 수 있고

아무리
멀리 있어도
손이 닿을 때도 있다

몽리지애

꿈에서라도
보았으면

한 번만이라도
나와 주었으면

초여름날 단잠에 빠져
여름밤의 꿈처럼 나타났다
이름 없이 떠난 그대여

오늘

현재보다 나은 과거나
미래 따윈 없다

행복 합시다
우리

이별 준비

마음을 내려놓는 준비를 해야 한다
조금씩 좋아하는 마음을 없애야 한다

그래야 덜 아플 테니까
아프지 않을 순 없겠지만
죽지 않고 버틸 수는 있을 테니까

조금씩
마음을 잘라내고 있다
심장을 찢어서 버리고 있다

아프지만 그것밖에 방법이 없다

한 사람의 일방적인 사랑은
어쩌면 독이니까

어쩌다
나만 좋아하게 된 걸까

사랑의 온도가 떨어질 때

아프다고 말했다
미안하다고 답했다

슬프다고 말했다
미안하다고 답했다

외롭다고 말했다
미안하다고 답했다

당신이 원한 건 사과가
아니었다는 것을 왜 이제야
알게 되었을까

퐁당

서른의 몸도
열여섯의 마음으로

마흔의 눈빛도
열다섯의 두근거림으로

그게 사랑이야

낮술

이거만한 것도 없다

헤어진 날엔

부치지 못한 편지

내 하루의 시작과 끝이
너라서 좋았어

멀리 떨어져 있어도
너와 모든 것을 공유하고
같이 있다는 기분이 좋았어

나의 계절은
너였고

내 청춘도
너였어

내게 세상의 가장 큰 행복을
알려줘서 고마워

잘 가
나의 청춘

이별 연고

노래하라

웃어라

행복해라

그래야
아물 것이니

꿈

너는 웃었고
나는 행복했다

너는 사랑한다
속삭였고

나는 바로 눈물을 흘렸다

후

네가 없어도
봄은 오고

네가 없어도
비가 내리고

네가 없어도
꽃은 피고

네가 없어도
살아지더라

첫눈

눈 온다
너도 이렇게
갑자기 왔으면 좋겠다

후회

나무가 말했다
오늘은 왜 혼자 왔나요

나무에게 말했다
인간들은 말이야
둘에서 혼자가 되는 것에
이유는 없어

단지

내 잘못만 있을 뿐이지

믿음

오늘은 별이 많으니
그대가 올 거야

오늘은 별이 없으니
그대가 올 거야

오늘은 별이 밝으니
그대가 올 거야

모자란 아이

하나부터 열까지
가르쳐줘야 하는
모자란 아이

그저 멍청히 마음을 다해
사랑하면 될 줄 알았던
모자란 아이

잘해주지도 못하고
잘하지도 못하는
모자란 아이

그래서 무식하게
죽을 만큼 사랑한다고밖에
표현하지 못 했네

사랑

사랑만큼 아름다운 것은 없다

그리고

사랑만큼 무서운 것도 없다

채비

난 그저 내가 사랑한 여자가
행복하길 바랄 뿐이다

그것이 내 옆이라면 더 좋겠지만
그녀는 아닐 테니까

내 옆이 아니라도 행복했으면 좋겠다

그래서
이 힘든 짝사랑을 포기 하지 못한 채

매일 죽지 않을 만큼
심장을 조금씩 잘라내고 있다

고마워

봄이 이렇게 향긋한지
처음 알게 되었다

바다가 이리 편안한지
처음 알게 되었다

밤이 어둡지만은 않다는 것을
처음 알게 되었다

너와 함께 한 모든 것이
내 생에 처음을 가져다주었다

다르지 않아

보고 싶어 잠 못 이루고
말 한마디에 상처 받고
사랑 때문에 죽을 만큼 아파

달라진 너 때문에 마음 졸이고
뜸해지는 연락이 신경 쓰이고
나와 함께 하지 않는 너의 하루가 궁금해

다르지 않아
사랑에 남자 여자가 어디 있어

식어가는 너의 모습을
초라한 내가 억지로
붙잡고 있는

남자도 사랑 앞에서는
똑같아

청춘

내 청춘의 전부가
너라서

다행이다

이별

사랑이 준비 없이
내게 왔듯이

이별도 준비 없이
나를 두고 가네

너는

사랑 때문에
아파하기에는
아까운 사람이다

지나간 그 인연에
눈물 흘리는 것조차
허락 되지 않을 정도로

너는
눈물 흘리고 있는
지금도

누군가에게 사랑 받아야 될
아름다운 사람이다

첫사랑을 이루지 못한 모든 이들에게

다음 생이 있다면

그때는 꼭 결혼하자

우리 모두 누군가의 첫 사랑이었다

기세 좋게 연인을 차버리는 너도
누군가에게는 매달릴 것이다

식어버린 연인의 눈빛을 참고 있는 너도
누군가에게는 세상 무엇보다 소중한 사람이다

연애에 목숨 걸지 마라

너희 모두
누군가의 가슴에 십년이고 백년이고 남아있는
그 시절이다

손은희

모든 날, 모든 순간

글은 참 신기합니다
특히 시는 더 그렇습니다
'그리움'을 쓰면 그리움이 더 커지고
'사랑한다' 쓰면 더더더 사랑하게 되니까요

벚꽃이 흐드러지게 핀 어느 날
세상에서 가장 소중한 사람을 잃었어요
세상 모든 아픔이 내 안에 있는 것 같아 잠을 잘 수 없었죠
그리움의 시를 읽으며 위로를 받았고
사랑의 시를 쓰며 내 안의 아픔을 치유 받았죠
한동안 벚꽃을 볼 수 없었어요
그가 생각나서
올봄 다시 벚꽃 볼 용기를 얻었네요
그와 함께한 추억이 흐드러지게 핀 벚꽃 길을 걸으며
별다방 커피도 한잔했답니다

글은 참 신기합니다
특히 시는 더 그런 것 같아요
누군가의 글이 그랬던 것처럼
이 글의 향기가 당신에게
작은 위로와 살아갈 힘을 줄 수 있다면
'모든 날 모든 순간' 당신 안에 스며들겠습니다

_ 시인의 말

행복할수록

그리움의 깊이는
사랑한 세월만큼
패이고

못다 이룬 인연의 애절함은
미워했던 순간만큼
고여 든다

오늘도, 여전히
메우지 못한
후회의 파편들이 아른거려

널 가슴에 묻은 채
잠이 든다.

나는 만족합니다

모진 비바람에도
헤지지 않는 사랑

그 사랑이면 나는 만족합니다

살랑이는 파도에도
깔깔 웃을 수 있는
당신과 나

그 사랑이면 나는 만족합니다

먼 길 떠나며 남겨놓은
그대의 미소를
가끔이라도 꺼내보며
그 미소에 방긋 눈 맞춤하는

그 사랑이면 나는 만족합니다.

풍경사진

눈으로 담은
모든 것
내게 주고 싶어서

내딛는 걸음걸음 어딘가에
아름다운 풍경 있노라며

어김없이
찰칵, 찰칵
눈으로 담아
마음 편에 보내준 당신

간직할게요, 영원히
당신이 담아 보낸 모든 것.

공무도하 (公無渡河)

지난밤
칠흑 같은 어두움에
잠들지 못하던
심장의 떨림은

홀로 그 강을 건너간
당신의 발소리였나요

푸르스름한 새벽녘
왠지 모를 서늘함이
온몸을 감싸 일찍 눈이 떠진 건

차가운 물줄기
온몸에 휘휘감고
돌아오지 못할 그 강을 건넌

식어진 당신 몸의
한기였나요.

가족

당신이 사랑했던
사람들과

당신을 사랑하는
사람들과의 만남은

늘
외로움에 지쳐
삶의 눈빛을 잃은
날
다시 세워

서로 사랑하게 될 날을
다시
꿈꾸게 해.

척

행복한 척
괜찮은 척

다 아는 척
멋있는 척

뭔가 있는 척
잘하는 척
나만 슬픈 척

척척 돌아가는 세상 속에서
멍한 눈으로 모든 걸 통달한 척.

참 좋았던 당신

지긋이 바라보던
따뜻한 미소에

가시 같던 상처가
향기로 변하고

꼭 잡아주던
부드러운 손길에

힘겨웠던
세월의 무게가

깃털처럼
살포시 내려앉아

행복했던 그때 그 그리움.

살아낼 이유

이 땅에서
소명 다해
하늘의 별이 되었다고 했다

너무 멀어 내게로 올 수 없는 별

그래?
그럼 내가

하루하루 불태운
소명 다한 별이 되어

미리내 가로질러
당신에게로 갈 수 밖에

거기서
딱
기다리시오.

하루의 끝

쪼개고 쪼갠 하루
의미도 퇴색하고
이유도 알 수 없는

어김없이 맞이한
평범한 일상의 끝

아,
별 보고 싶다

또,
그리고 너.

밤비

그리움이 식어진 자리에
덩그러니 놓인
추억 한 자락

바라보는 눈빛이
다시 그리워

마음으로 치닫는 빗소리를
멍하니
바라볼 뿐.

위로

상처 난 마음을 추스르기엔
그리 거창한 방법이 필요치 않아

나를 사랑하는 단 한 사람
그로부터 진하게 전해지는
따뜻한 온기만 있다면

어느
쌀쌀한 초가을 저녁

며칠을 푹 우려내
더할 나위 없이 뽀얀

엄마의
푸짐한 사골국 한 그릇처럼.

마음의 끝에서

어찌해야
당신을 향한
내 그리움의 눈빛을
거둘 수 있을까요

어찌해야
내 귀를 맴도는
당신의 다정한 목소리를
잊을 수 있을까요

어찌해야
내 맘에 가득 찬
당신을 향한 내 사랑을
비워낼 수 있을까요

어찌해야.

연서(戀書)

안부를 물어 줄래요?
나
들려줄 말이 참 많은데

우리가 걷던
그 봄날, 그 밤

새하얀 가로등 불빛에
눈부시게 반짝이던
그 벚꽃들의 이야기

두 손 꼭 잡고 걸었던
그 공원
봄빛으로 찬란했던
그 연못
찰랑이는 그 물결

그 자리 그대로
우리를 기다린다고
아니, 당신을 기다린다고

당신
잘 지내고 있나요?

꽃비

당신을 바라는 맘도
내 맘이요

당신을 보내는 맘도
내 맘인데

이맘이 그맘인지
그맘이 이맘인지
알 수 없어서

일렁이는 봄바람에
애꿎은 맘 꽃비 되어
하염없이 떨어지네.

사의 찬미

밤새 품고 있던
당신의 향기가

창틈으로 드리운
아침햇살에
허공으로 날리운다

탐한다고
잡을 수 있을까

그저
영혼의 힘을 뺀 채로

물처럼 흐르는 운명에
내 삶을 놓아
흘러가게 할 뿐.

해후

당신
아직도 날
사랑하나요?

그럼
다시 한 번
날
보러 와줘요

이 봄
꽃들이 다 져버리기 전

나
눈부신 햇살에도
눈 감지 않고

포근한 달빛에도
잠들지 않을게요.

일탈을 꿈꾸며

너무 짧아 아쉬운 봄
볼 수 없어 아쉬운 너

걍,

바람 부는 대로
흔들리는 대로

우리 둘
두 손 깍지 끼어 잡고

사부작사부작
봄나들이 가볼 까나?

춘천(春川)

볼 차가운
길목에 서서
빼꼼이
널 기다려.

어디만큼 왔니?
어디까지 왔니?

목까지 차오른
보고픔을 삼키며

올 듯 말 듯
기척 없는 굽이진 길을 따라

그렁그렁 눈물짓는
말간 눈동자.

타래

이제야
알게 된 걸

그때
알았더라면

우리의 사랑은
좀 더
따뜻하고 깊어졌을까

그저
인연의 굴레에 묶여
살아간 날들이 아닌

정말
사랑하고 사랑해서

서로를 놓지 못하는
날들처럼.

망설임

얻고 잃는 것에 대한
두려움과

가슴을 에는 이별과의 조우는

익숙한 관심으로부터
쉼 없이 달음박질치며
그리움을 남긴다.

변명

미안하다 말하면
다시 보고 싶어 질까봐

고마웠다 말하면
맘이 아파질까봐

싫어,
뒤돌아보지 않을래요

처음부터
우린 몰랐던 거야

그래,
우린 몰랐던 거야.

집착

그와 함께라면
행복해 질 거라는 상상

그와의 이별은
아플 거라는 추측

그도 나처럼
그리울 거라는 기대

이 모든 건
허무한 집착.

그리움의 끝

답장 없는 너에게
매일의
안부를 묻다,

언제까지란
막다른 골목 앞에
다다랐을 때

마지막 대답은
늘

내 그리움이
다할 때까지.

사진

매일 행복해 보여

세월에 무심한 듯
나이를 먹지 않아

그 속에서는

그래서
담으려하지
잡으려하지

그 속에
나를
그리고 우리의 시간을.

몽상

당신, 참

얼마나 다정한지
얼마나 따뜻한지

얼마나, 얼마나

다 주고 싶다
다 갖고 싶다

다,
다.

오늘, 하늘

이쁜 하늘을
혼자만 보려니
너무너무
아까운 걸요

그래서
당신에게
내 마음도 실어
한 스푼 떠서 보내요

좋아하면
다 주고 싶잖아요
이쁜 것도, 기쁜 것도

잘 받았나요?

공덕오거리

홀로 퇴근길
막힌 도로가
차 안의 고독을 가득 메울 때

경적 소리처럼
밝게 울리던
그 목소리에

입안에 돋았던 가시가
꽃으로 변하고
소망의 향기가 스멀스멀 올라올 때

"어디쯤이에요?"
"공덕오거리"

현실이 우리를 불러 세워
멈추게 했던

당신과 나의
공덕오거리.

단장(斷腸)

같은 맘
다른 삶

바라볼 수 있어도
만날 수 없는 평행선

손 뻗어 잡지 못함은
무너져 버릴 내 마음이
두려운 까닭입니다

다음 생엔
우리 수직으로 만나

얼굴에 얼굴을 묻고
오직 사랑으로 한 점 되어

이생의 못 다한 사랑
마음껏 나눠요.

주머니 속 작은 사랑

마음 속 빈방이
버거울 때
살짝 꺼내보아요

마음 속 기쁨이
가득 할 때
살짝 꺼내보아요

나의 그대가 될 수 없고
그대의 내가 될 수 없어

꼭꼭 감춰 놓고
살짝살짝
꺼내만 보는

주머니 속
내 작은 사랑.

사랑하는 이에게

곧기도 하고
굽기도 한 삶의 길을
두 손 꼭 잡고 함께 걷기를

사람의 남은 알 수 있어도
감의 순간은 알 수 없으니

지금
당신 옆에서
그 길을 어울려 걷고 있는
그이에게

사랑과 신의로 정성을 다함이
해 아래
꼿꼿이 살아갈 삶이라네.

근황

난
오늘도
잘 살고 있어요

가끔은
당신을 잊고서 그렇게

짙은 그리움이
희미해져 갈수록

내 삶의 방향은
더 선명해져 가고

그 길을 따라
차곡차곡 날 다시
찾아가면서.

다짐

다시는
아프게 오지마

오늘이 딱,
마지막이야

아픈 널 만나러 가는 건

다음에
우리 또 만나면

다시 설레고, 다 태워 사랑하고
후회 없이 행복하자.

특별한 날의 소회

아침엔 짙은 안개
오후엔 따뜻한 햇빛
저녁에 향긋한 커피 한잔

오늘은
네 생각보다
내 생각으로

고요와 마주한
평범하기 그지없는
하루, 그리고 내 마음.

낙화

내
그럴 줄 알았지

그렇게
활짝 피더라니

너
그럴 줄 알았지

감당 못할 그 사랑
단 한 번 고갯짓으로

푹
져버릴 줄 알았지.

라일락 꽃향기

당연한 줄 알았죠
날 보고 웃어주는
당신의 부드러운 미소가

영원할 거라 생각했죠
날 향한 당신의 그 따뜻함이

봄 깊어 바람 부는 날
꽃잎이 허공에 휘날리듯
믿었던 그 사랑이 흔적 없이 사라지고

코끝을 아리는
라일락 꽃 향기만이
서글픈 빈 맘을 채우네요.

숨바꼭질

두근두근 콩콩콩
가슴이 뛰는 걸
숨이 막혀 차오르는 걸

쩌벅쩌벅 다가오는
너에게 들킬까 봐

널 향한 내 사랑을
네가 찾아낼까 봐.

그냥, 나라서

또
사랑타령이니?

사랑보다 큰일
사랑보다 가치 있는 일
많고 많은데

또
그놈의 사랑타령이니?

응
난 사랑이 다인 걸

사랑이 전부인
나라서
그냥, 그게 나라서.

한바탕 웃음으로

잊을 수 없어요
잊지 못해요

한여름
소나기처럼 퍼부었던
슬픔, 후회, 미안함

다 자져가 버려요
나, 이제

가을빛처럼
파란 하늘 속을 걸으며

한바탕 웃음으로
그날 그 계절
삼켜버리게.

가로등

거기 어디예요?

나
길을 잃었어요
당신 맘으로 가는 길

어떡해요?
식어버린 가로등 불빛만이
어두운 이 거리를 비추네요

다시
밝혀줄래요?

당신 맘에 꺼져버린
뜨거운 사랑
그 가로등 환한 불빛

그리움에 눈먼
나
그 빛을 따라
당신 곁으로 갈 수 있도록.

인연

흩어진 날들의 조각들을
고이고이 접어서

추억의 책갈피에
살포시 끼워 넣어요

발그레한
봄빛의 수줍음

푸르른
여름의 생기들

알록달록
가을의 설레임

은빛으로 빛나는
겨울의 찬란함

영원의 고리로 끼워
더 이상
흩어지지 않도록.

바람은 그저 자리를 내어 줄 뿐입니다

2021년 6월 7일 초판 1쇄 발행
2021년 6월 7일 초판 1쇄 인쇄

지은이　　　| 김효정, 진원재, 조지영, 양복선, 손은희

인쇄　　　　| 아레스트
표지　　　　| theambitious factory

펴낸이　　　| 이장우
펴낸곳　　　| 꿈공장 플러스
출판등록　　| 제 406-2017-000160호
주소　　　　| 서울시 성북구 보국문로 16가길 43-20 꿈공장1층
전화　　　　| 010-4679-2734
팩스　　　　| 031-624-4527
이메일　　　| ceo@dreambooks.kr
홈페이지　　| www.dreambooks.kr
인스타그램　| @dreambooks.ceo

꿈공장＋ 출판사는 모든 작가님들의 꿈을 응원합니다.
꿈공장＋ 출판사는 꿈을 포기하지 않는 당신 곁에 늘 함께하겠습니다.

ISBN　| 979-11-89129-89-7

정 가　| 13,000원